Feb 1

LE
RAT DE VILLE
ET LE
RAT DES CHAMPS

Voici l'histoire d'un rat de ville
qui alla à la campagne et
rencontra un rat des champs.

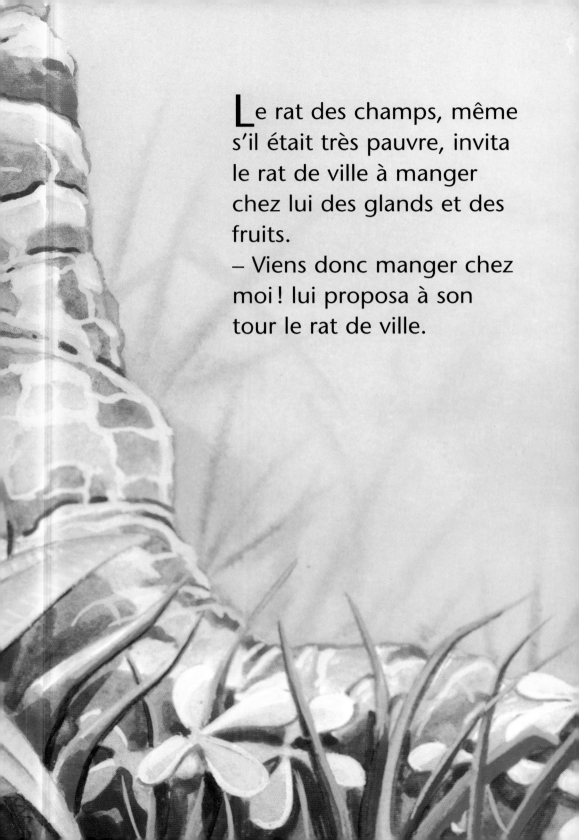

Le rat des champs, même s'il était très pauvre, invita le rat de ville à manger chez lui des glands et des fruits.

– Viens donc manger chez moi ! lui proposa à son tour le rat de ville.

Les rats partirent donc pour la ville. La maison du rat de ville était remplie de jambon, de fromage et de miel.

– Mmm, comme c'est appétissant ! dit le rat
des champs.

Cest alors que le propriétaire de la maison vit les rats.

– Je n'aime pas voir des rats dans mon garde-manger ! grogna-t-il. Je vais chercher mon gros chat affamé !

– Miaou! miaula le chat en pourchassant les rats affolés.

– La vie à la ville me fait trop peur! s'écria le rat des champs. Je rentre chez moi!

De retour à la campagne, le rat des champs dit à ses amis :
– Je préfère être pauvre et vivre ici au lieu d'être la proie d'un chat malappris!

Le Lièvre
et la
Tortue

Il était une fois un lièvre qui se vantait toujours. Il disait : Je suis le plus rapide des alentours ! Alors la tortue le mit au défi en lui proposant une course.

– Mais ça ne va pas ? Tu
crois être plus vite que moi ?
dit le lièvre.
– Nous verrons bien,
répliqua la tortue.

Le lendemain matin, tous les animaux se réunirent pour regarder le départ de la course. Le maire tira un coup de pistolet, et le lièvre s'élança, laissant la tortue derrière lui dans un nuage de poussière.

– Ah ha! Nous verrons bien, petit malin…

Le lièvre courut si vite qu'il se fatigua.
– Je vais faire un petit somme sous cet
arbre. La lente tortue ne me passera
jamais sous la barbe.

Le lièvre dormit profondément pendant très longtemps. La tortue passa doucement devant le lièvre ronflant.

La tortue franchit en premier la ligne d'arrivée. À partir de ce jour, le lièvre n'osa plus du tout se vanter.